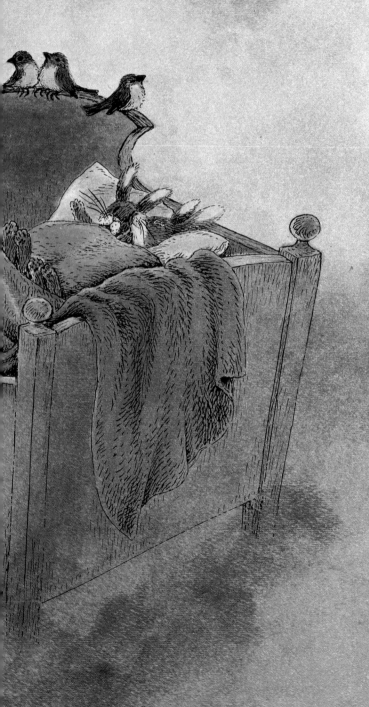

© Verlag Friedrich Oetinger, Hamburg 1989
Alle Rechte für die deutschsprachige Ausgabe vorbehalten
© Astrid Lindgren (Text) 1947, Ilon Wikland (Bild) 1988
Die schwedische Originalausgabe erschien bei Rabén & Sjögren Bokförlag, Stockholm,
unter dem Titel „Jag vill inte gå och lägga mig!"
Deutsch von Anna-Liese Kornitzky
Satz: Utesch Satztechnik GmbH, Hamburg
Druck: New Interlitho, Milano
Printed in Italy 1989/II

ISBN 3-7891-6141-1

Astrid Lindgren
Nein, ich will noch nicht ins Bett!

Bilder von Ilon Wikland

Deutsch von Anna-Liese Kornitzky

Verlag Friedrich Oetinger · Hamburg

»Nein, ich will noch nicht ins Bett!«
Ja, wer schreit denn da so?
Es ist Lasse. Er ist fünf Jahre alt,
und er will nie schlafen gehen,
nein, nein! Wenn seine Mama
abends zu ihm sagt: »Jetzt, mein
Lassemann, jetzt aber husch ins
Bett mit dir«, dann sagt Lasse:
»Ich will nur noch eine Garage für
mein Auto bauen«, oder »Ich will

nur noch einen ganz kleinen
Mann malen.«
Und dann will er nur noch viermal
vom Tisch hopsen und ein
bißchen in dem Loch im Strumpf
bohren, um zu sehen, ob es nicht
größer wird. Und das wird es auch.
Danach will er sich nur noch hinter
dem Schaukelstuhl verstecken,
damit Mama ihn nicht findet.

Schließlich hat Mama so genug von diesem »Ich will nur noch«, daß sie Lasse einfach beim Wickel nimmt, ihn auszieht und ins Bett steckt. Und die ganze Zeit über schreit Lasse: »NEIN, ICH WILL NOCH NICHT INS BETT!«

In der Wohnung über Lasse wohnt
eine alte Frau. Sie heißt Tante
Lotte, und sie hört Lasse abends
schreien.
Lasse mag Tante Lotte sehr. Er
geht oft zu ihr und besucht sie.
Eines Abends sitzt er bei Tante
Lotte in ihrem gemütlichen Zim-
mer. Da sagt Tante Lotte:
»Möchtest du vielleicht mal durch
meine Brille gucken?«
»Ja, gern«, sagt Lasse, denn er
hat noch nie eine Brille auf der
Nase gehabt.

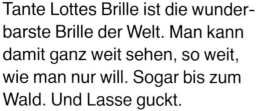

Tante Lottes Brille ist die wunder-
barste Brille der Welt. Man kann
damit ganz weit sehen, so weit,
wie man nur will. Sogar bis zum
Wald. Und Lasse guckt.

»Was siehst du?« fragt Tante
Lotte.

»Da ist ein Bär«, sagt Lasse. »Ein
kleiner Bärenjunge. Und seine
Mama auch.«

»Was macht denn der Bärenjunge?«

»Er sitzt im Bett.«

»Schreit er?« fragt Tante Lotte.

»Nee, gar nicht«, sagt Lasse und
wird ein bißchen rot.

Und tatsächlich, der kleine Teddy
schreit überhaupt nicht. Er futtert
seinen Honigbrei und ist sehr ver-
gnügt.

Er ist nämlich den ganzen Tag im Wald gewesen, und das war herrlich. Er hat dort mit einem anderen Bärenjungen gespielt, der Petzi heißt. Teddy und Petzi sind am Bach gewesen und haben mit Steinen geworfen. Sie wollten sehen, wer am weitesten werfen kann. Und sie konnten beide mächtig weit werfen. Und es war so schön zu hören, wenn der Stein ›plumps‹ machte. Doch dann rutschte Teddy aus und plumpste selber in den Bach. Und weil er jetzt sowieso schon naß war, konnte er ja noch ein bißchen weiter rumplumpsen, fand er. Und er plumpste und planschte lange herum und bespritzte Petzi mit Wasser.

»Am liebsten würde ich auch reinfallen«, sagte Petzi. Und da lag er auch schon drin.

Morgen will Teddy gleich wieder zum Bach laufen und darin herumplumpsen. Falls seine Strümpfe und Schuhe bis dahin trocken sind.

Jetzt guckt Lasse in eine andere
Richtung. Und da sieht er das
Kinderzimmer der Kaninchen.
Es ist gerade Schlafenszeit, und
die kleinen Kaninchen sind allein
zu Haus. Ihre Mama ist bei einer
Freundin eingeladen. Es macht
großen Spaß, ›ganz allein‹ ins Bett
zu gehen.
»Und beeilt euch mit dem Schla-
fengehen«, sagte Frau Kaninchen,
bevor sie wegging. »Daß ihr mir
nicht noch zu lange schwatzt.«
Aber die Kaninchenkinder beeilen
sich trotzdem nicht sehr. Zuerst
machen sie eine Kissenschlacht.
(Frau Kaninchen hat auf jedes
Kissen eine Nummer gestickt,
damit die Kinder wissen, welches
ihr Bett ist. Alle wollen nämlich am
liebsten in der Mitte liegen.) Als die
Kissenschlacht in vollem Gange
ist, sagt eins der Kaninchenkinder:
»Wir haben uns ja noch gar nicht
gewaschen!«

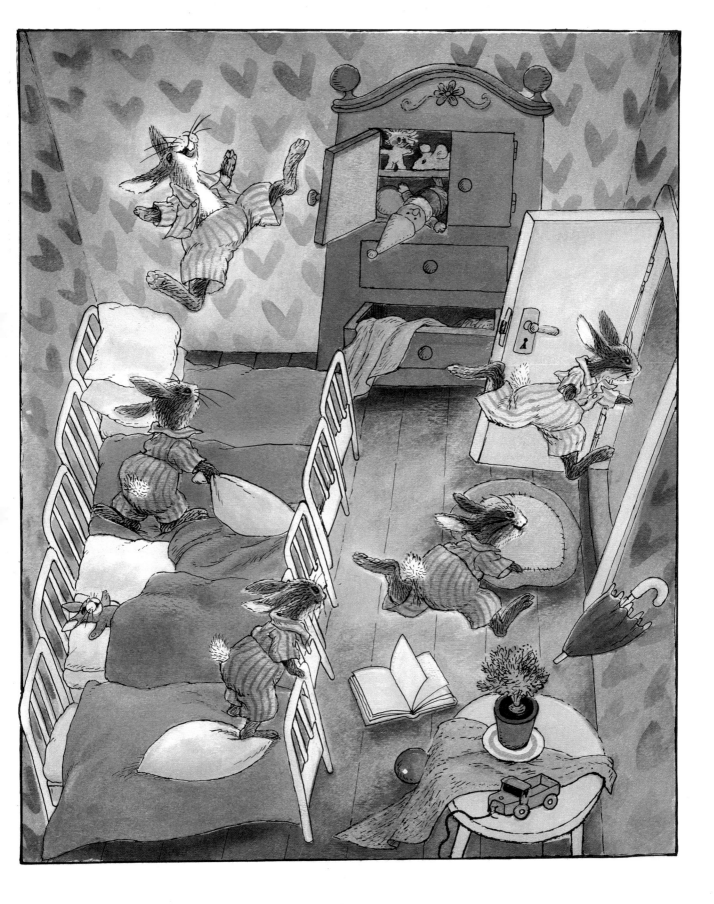

Und da rennen alle um die Wette ins Badezimmer und drängeln und schubsen, weil jeder zuerst hinein will. Eine Weile später kriecht ein Kaninchenjunge als erster ins Bett.

»Und jetzt schlafen wir noch lange, lange, lange nicht«, sagt er. Und da ist er auch schon eingeschlafen.

»Die Brille finde ich gut«, sagt Lasse.

»Sieh doch mal nach, ob noch mehr Kinder schon schlafen«, sagt Tante Lotte.

Und wahrhaftig, so ist es. Fünf kleine Vogelkinder sieht Lasse. Sie schlafen so schön, daß Lasse fast hören kann, wie sie schnarchen. Nur ein kleiner Vogeljunge ist noch nicht richtig eingeschlafen. Aber er gähnt. Nosse heißt er. Und Nosse ist müde, schrecklich müde. Den ganzen Tag lang hat er versucht, das Fliegen zu lernen. Seine Geschwister können es schon. Und Nosse kann es auch schon, jedenfalls ein bißchen. Aber als er rief: »Ich kann auch schon fliegen! Fünf Flügelschläge hintereinander!«, da sagte sein Bruder: »Haha, ich hab doch gesehen, wie du dich mit dem Fuß abgestoßen hast!«

Und darum hat sich Nosse vorgenommen, morgen ganz früh aufzustehen und richtig lange fliegen zu üben.

In der Familie Eichhörnchen gibt
es drei Kinder. Kalle, Kurre und
Kicki heißen sie. Ihr Papa ist
ziemlich streng.
»Bring endlich die Kinder zu Bett,
damit man in Ruhe seine Zeitung
lesen kann«, sagt er zu Frau Eichhörnchen. Und da verspricht Frau
Eichhörnchen *dem* Kind, das
zuerst im Bett ist, einen Bonbon.

»Klar, daß Kicki die erste wird«, sagt Kurre. »Das wird sie doch immer.«

Und Kicki *wird* die erste. Sie kuschelt sich in ihre Decke im mittleren Bett und lutscht an ihrem Bonbon.

»Du brauchst nicht noch zu schmatzen«, sagt Kalle. »Wir hören auch so, daß du einen Bonbon hast.«

Kurre zieht das Rollo runter und klettert in das oberste Bett. Er ist traurig, denn er hätte auch gern mal einen Bonbon.

»Jedenfalls ist es schädlich,

Bonbons zu essen, wenn man sich schon die Zähne geputzt hat«, sagt er zu Kicki.

»Na, wenn schon«, sagt Kicki. Kalle schleicht sich zu seiner Eisenbahn und spielt noch ein bißchen damit. Papa liest die Zeitung, also merkt er es nicht. Kalle hat die Eisenbahn selber gebastelt, und es ist eine feine Eisenbahn. Kalle stellt sie neben sein Bett, bevor er hineinkriecht. Er nimmt sich vor, so etwa tausend solcher Eisenbahnen zu bauen und dann alle zu verkaufen und ein wahnsinnig reiches Eichhörnchen zu werden.

Tante Lottes Brille ist wirklich wunderbar. Man kann damit sogar durch den Fußboden gucken. Da unten wohnt Frau Maus. Gerade jetzt ist sie schrecklich böse.

»So, kommst du endlich nach Hause«, sagt sie zu dem armen Kasper, der die Treppe runterhuscht und Angst hat.

»Wieso warst du nicht pünktlich zum Abendbrot da?« fragt Frau Maus. »Wo bist du überhaupt gewesen?«

»Ich hab auf dem Hof Murmeln gespielt«, sagt Kasper.

»Jaja, immer dasselbe«, sagt Frau Maus. »Also iß jetzt und mach, daß du ins Bett kommst. Die andern Kinder schlafen alle schon.«

Aber Kasper sieht, daß seine kleine Schwester Nilla noch wach ist. Sie steckt ihren Kopf aus dem Kissen und hört begeistert zu, wie Frau Maus Kasper ausschimpft.

»Ich spiele abends nie mit Murmeln«, sagt Nilla.

Na, wart nur, bis ich im Bett bin, denkt Kasper, dann zieh ich dich am Schwanz, dumme Nilla, du.

»So, und nun geh nach Hause und auch ins Bett«, sagt Tante Lotte zu Lasse. »Du hast ja gesehen, daß abends alle Kinder schlafen müssen.«

Lasse nimmt die Brille ab. Er nickt Tante Lotte zu, sagt aber kein Wort.

Als er dann in seinem Zimmer ist, zieht er sich so leise aus, daß seine Mama ihn gar nicht hört. Seine Sachen legt er auf einen Stuhl. Dann geht er ins Badezimmer und putzt sich die Zähne und wäscht sich. Danach legt er sich ins Bett.

Er denkt an alle Kinder, die schon schlafen. An den Bär Teddy und an die Kaninchenkinder, an den kleinen Vogel Nosse, an Kalle Eichhörnchen und an den Mausejungen Kasper.

Nach einer Weile kommt seine Mama, um ihm zu sagen, daß er jetzt aber ins Bett gehen *muß.* Oh, wie erstaunt sie ist, als sie sieht, daß Lasse schon schläft. Sie kann es beinahe nicht glauben, daß es wirklich wahr ist.

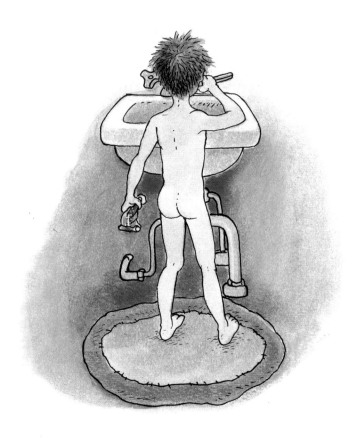